À tous les membres de la famille

L'apprentissage de la lecture est l'une des réalisations les plus importantes de la petite enfance. La collection *Je peux lire!* est conçue pour aider les enfants à devenir des lecteurs experts qui aiment lire. Les jeunes lecteurs apprennent à lire en se souvenant de mots utilisés fréquemment comme « le », « est » et « et », en utilisant les techniques phoniques pour décoder de nouveaux mots et en interprétant les indices des illustrations et du texte. Ces livres offrent des histoires que les enfants aiment et la structure dont ils ont besoin pour lire couramment et sans aide. Voici des suggestions pour aider votre enfant avant, pendant et après la lecture.

Avant

Examinez la couverture et les illustrations, et demandez à votre enfant de prédire de quoi on parle dans le livre.

Lisez l'histoire à votre enfant.

Encouragez votre enfant à dire avec vous les formulations et les mots qui lui sont familiers.

Lisez une ligne et demandez à votre enfant de la relire après vous.

Pendant

Demandez à votre enfant de penser à un mot qu'il ne reconnaît pas tout de suite. Donnez-lui des indices comme : « On va voir si on connaît les sons » et « Est-ce qu'on a déjà lu un mot comme celui-là? ».

Encouragez l'enfant à utiliser ses compétences phoniques pour prononcer d'autres mots.

Lorsque l'enfant a besoin d'aide, lisez-lui le mot qui pose un problème, pour qu'il n'ait pas trop de mal à lire et que l'expérience de la lecture avec les parents soit positive.

Encouragez votre enfant à lire avec expression... comme un comédien!

Après

Proposez à votre enfant de dresser une liste de mots qu'il préfère.

Encouragez votre enfant à relire ses livres. Il peut les lire à ses frères et sœurs, à ses grands-parents et même à ses toutous. Les lectures répétées donnent confiance au jeune lecteur.

Parlez des histoires que vous avez lues. Posez des questions et répondez à celles de votre enfant. Partagez vos idées au sujet des personnages et des événements les plus amusants et les plus intéressants.

J'espère que vous et votre enfant allez aimer ce livre.

Francie Alexander,
spécialiste en lecture

D0238844

Données de catalogage avant publication
de la Bibliothèque nationale du Canada

Lewison, Wendy Cheyette
  Boue!

(Je peux lire!. Niveau 1)
Traduction de: Mud.
Pour enfants de 3 à 6 ans.
ISBN 0-7791-1557-0

I. Basso, Bill II. Duchesne, Lucie III. Titre. IV. Collection.

PZ23.L494Bo 2002   j813'.54   C2001-903408-3

Copyright © Wendy Cheyette Lewison, 1990.
Copyright © Bill Basso, 2001, pour les illustrations.
Copyright © Les éditions Scholastic, 2002, pour le texte français.
Tous droits réservés.

Il est interdit de reproduire, d'enregistrer ou de diffuser en tout ou en partie le présent ouvrage,
par quelque procédé que ce soit, électronique, mécanique, photographique, sonore, magnétique ou autre,
sans avoir obtenu au préalable l'autorisation écrite de l'éditeur. Pour toute information concernant
les droits, s'adresser à Scholastic Inc., 555 Broadway, New York, NY 10012.

Édition publiée par Les éditions Scholastic, 175 Hillmount Road, Markham (Ontario) L6C 1Z7.

5 4 3 2 1   Imprimé au Canada   02 03 04 05

À mes chouettes neveux et nièces
et à ma délicieuse petite-nièce, Casey Ann,
qui m'inspirent tous.
– Oncle Bill

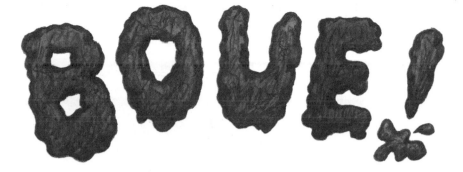

BOUE!

Wendy Cheyette Lewison
Illustrations de Bill Basso

Texte français de Lucie Duchesne

Je peux lire! – Niveau 1

Les éditions Scholastic

De la boue dans la mare.

De la boue sur tes chaussures.

De la boue sur tes chaussettes.

De la boue sur tes vêtements!

De la boue sur tes mains.

De la boue sur tes orteils.

De la boue sur tes joues.

De la boue sur ton nez.

De la boue partout!

De la boue sur tes coudes.

De la boue dans
tes cheveux.

De la boue sur ton menton.

De la boue sur ton oreille.

De la boue par-ci.

Et de la boue par-là.

De la boue dans la mare.

De la boue dans les airs.

De la boue partout!